Schulausgabe

1. Lesestufe

Usch Luhn

Pimpinella Meerprinzessin und der Delfin

Mit Bildern von Betina Gotzen-Beek

Ravensburger Buchverlag

Bibliografische Information der Deutschen Nationalbibliothek:

Die Deutsche Nationalbibliothek verzeichnet diese Publikation
in der Deutschen Nationalbibliografie.
Detaillierte bibliografische Daten sind im Internet
über **http://dnb.d-nb.de** abrufbar.

5 6 7 8 9   E D C B

Ravensburger Leserabe
© 2010 für die Originalausgabe
Ravensburger Buchverlag Otto Maier GmbH
© 2012 für die Ausgabe mit farbigem Silbentrenner
Mildenberger Verlag und
Ravensburger Buchverlag Otto Maier GmbH
Umschlagbild: Betina Gotzen-Beek
Umschlagkonzeption: Sabine Reddig
Printed in Germany
ISBN 978-3-619-14352-8
(für die gebundene Ausgabe im Mildenberger Verlag)
ISBN 978-3-473-38545-4
(für die broschierte Ausgabe im Ravensburger Buchverlag)

www.mildenberger-verlag.de
www.ravensburger.de
www.leserabe.de

Inhalt

Ein Schloss im Meer   4

Ein tolles Muschelversteck   12

Tule, pfeilschnell!   23

Im Korallenwald   30

Leserätsel   40

Ein Schloss im Meer

Pimpinella Seestern
ist eine echte Prinzessin.

Sie wohnt mitten im Meer
in einem wunderschönen Schloss,
das aus schimmernden Muscheln
erbaut wurde.

5

Wie bei jedem Meermädchen
leuchten ihre Augen knallgrün.
Aber so rote Locken wie sie
hat keine andere Meerjungfrau.

Bis heute hat das Muschelschloss
kein Seefahrer entdeckt.

Nur nachts funkeln seine Türme
so hell wie die Sterne am Himmel.

Mit ihrer Flosse flitzt Pimpinella
durch das Wasser wie ein Fisch,
am liebsten natürlich
mit anderen um die Wette.

Sie schwimmt sogar schneller
als ihr bester Freund Thomas.

Trotz seiner acht Arme
wird der Tintenfisch
immer nur Zweiter.

9

Meist stolpert er vor Eifer
und verknotet sich.

Dann muss Pimpinella
ihn entwirren.

Pimpinellas Zimmer ist oben
im höchsten Turm.

Von ihrem Fenster aus kann sie
bis zum Korallenwald sehen.
Aber der ist gefährlich
und für Meermädchen
streng verboten.

Ein tolles Muschelversteck

Pimpinella ist richtig gut gelaunt.
Seit einer Woche geht sie
in die erste Klasse.
Gerade hat sie ihre Aufgaben fertig.

Sie freut sich schon riesig
auf die Fischkunde-Stunde morgen.

Dann erfährt sie endlich,
was Fische immer so blubbern.

Vorsichtig legt sie
ihre nagelneue Schultasche
auf den Schreibtisch.

Sie ist aus Fischhaut
und glänzt rosarot.
Der Verschluss sieht aus
wie ein blauer Seestern.

Die Schule ist auch im Schloss.
Wie praktisch!

„Ich könnte aus meinem Bett
direkt ins Klassenzimmer plumpsen",
erzählt Pimpinella kichernd
der Schildkröte Basi.

Nur: Was würde Frau Seehase,
ihre Klassenlehrerin, sagen,
wenn Pimpinella im Schlafanzug
vor ihre Flossen kullerte?

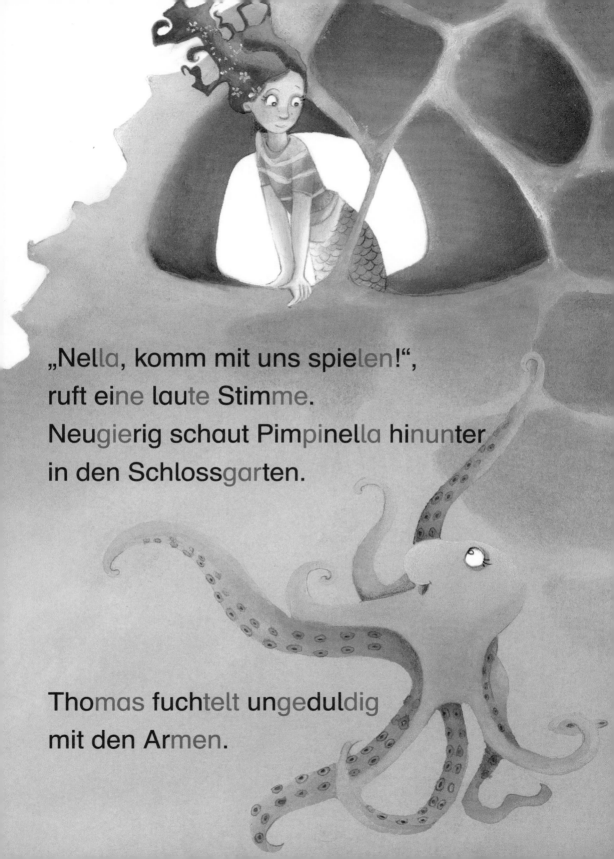

„Nella, komm mit uns spielen!",
ruft eine laute Stimme.
Neugierig schaut Pimpinella hinunter
in den Schlossgarten.

Thomas fuchtelt ungeduldig
mit den Armen.

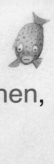

Umringt wird Thomas von Fischen,
die Pimpinella aufgeregt
mit ihren Flossen zuwinken.
„Los, mach dich auf die Schuppen!"

So drollige Fische
hat Pimpinella noch nie gesehen.
Sie haben lustige lila Punkte
auf ihren Schuppen.

19

Die fremden Fische
überschütten Nella
mit fröhlichem Geblubber.

Leider versteht sie
keine einzige Blase.

Im Schlossgarten gibt es
viele Plätze zum Verstecken.
Die Fische und Thomas
schießen kichernd auseinander.

Pimpinella verschwindet
in einer Riesenauster.

Plötzlich muss sie heftig gähnen.
Ganz schön anstrengend,
so ein Schultag!
Sollen die anderen ruhig suchen!

Tule, pfeilschnell!

„Wo bin ich?"
Pimpinella schlägt
die Augen auf.

Von den Punktfischen und Thomas
ist keine Schuppe mehr zu sehen.
„Treulose Schnecken!", schimpft sie.

„Meinst du mich?",
ruft eine helle Stimme.

Ein kleiner Delfin
wirbelt mit seiner Schnauze
übermütig Sandkörner auf.

„Hallo!", sagt Pimpinella neugierig
und purzelt aus der Auster.
„Wer bist du denn?"

„Ich heiße Tule!
Willst du mit mir spielen?
Mir ist so langweilig."

„Klar!", ruft Pimpinella.
Sie ist wieder putzmunter.

„Wer als Erster
bei der Seegurke ist!"
Sie zappelt eilig los.

„Bin längst da!",
schnattert Tule ihr entgegen.
„Das war leicht."

„Grüne Spinnengrütze!
Du bist ja schneller als ein Floh!",
ruft Pimpinella.
„Ein zweites Mal gewinnst du nicht!"

„Langweilig, lieber was Neues!",
quengelt Tule.
„Die Wasserrosen dort
sehen schön aus!"

„Tolle Idee!", stimmt Pimpinella zu.
„Ich bringe Frau Seehase
einen Strauß Rosen
für unser Klassenzimmer mit."

Im Korallenwald

Je weiter Pimpinella schwimmt,
umso prächtiger
sehen die Blumen aus.

Tule hat schon das ganze Maul
voll herrlicher Blüten.

„Von den roten will ich
auch noch einen Zweig!",
ruft Tule begeistert
und flitzt schnurstracks
in den Korallenwald hinein.

„Tule! Halt!"
Aufgeregt
paddelt Pimpinella
dem dummen Delfin
hinterher.

Im Wäldchen ist es so dunkel,
dass man kaum etwas erkennt.

Tapfer tastet sich Pimpinella
von Zweig zu Zweig.

Plötzlich sieht sie einen Schatten.
Ihr Herz schlägt bis zum Hals.
Im selben Moment streift sie
eine Art leuchtende Kugel,
ein Geisterpfeifen-Fisch.

„Unerhört!", ruft die Geisterpfeife
erschrocken.

„Ein Gespenst!", jammert Tule
und drückt seine Schnauze
an Pimpinellas Hals.

34

„Der hat mehr Angst als wir",
sagt Pimpinella
mit zitternder Stimme.

„Er schwimmt nach draußen.
Schnell hinterher!"

„Puh", seufzt Pimpinella erleichtert.
„Glück gehabt!"
Aus der Ferne glitzert das Schloss.

„Du bist das mit Abstand
tapferste Meermädchen,
das ich kenne", sagt Tule.

„Wie viele kennst du denn schon?"
Der kleine Delfin wird rot.

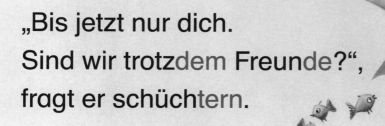

„Bis jetzt nur dich.
Sind wir trotzdem Freunde?",
fragt er schüchtern.

„Klar!" Pimpinella lacht froh.
„Aber nur, wenn wir gleich noch einmal
um die Wette schwimmen.
Und diesmal gewinne ich!"

Leserätsel
mit dem Leseraben

Super, du hast das ganze Buch geschafft!
Hast du die Geschichte ganz genau gelesen?
Der Leserabe hat sich ein paar spannende
Rätsel für echte Lese-Detektive ausgedacht.
Wenn du Rätsel 4 auf Seite 42 löst, kannst du
ein Buchpaket gewinnen!

Rätsel 1

In dieser Buchstabenkiste haben sich vier Wörter
aus der Geschichte versteckt. Findest du sie?

F	I	K	D	B	E	E
I	L	M	E	E	R	X
S	C	H	L	O	S	S
C	T	U	F	U	Ä	A
H	Ü	M	I	C	Z	F
U	A	W	N	O	Q	Z

Rätsel 2

Der Leserabe hat einige Wörter aus der
Geschichte auseinandergeschnitten.
Immer zwei Teile ergeben ein Wort.
Schreibe die Wörter auf ein Blatt!

-fisch

Muschel-

Meer-

-schloss

-wald

Korallen-

-jungfrau

Tinten-

Rätsel 3

In diesem Satz von Seite 7 sind sieben falsche
Buchstaben versteckt. Lies ganz genau und trage
die falschen Buchstaben der Reihe nach in die
Kästchen ein.

Biss heuete hate das Muschielschloss
kein Seegfahreer elntdeckt.

1	2	3	4	5	6	7

Rätsel 4

Beantworte die Fragen zu der Geschichte.
Wenn du dir nicht sicher bist, lies auf den Seiten
noch mal nach!

1. In welcher Farbe leuchten Pimpinellas Augen?
(Seite 6)
M : Knallgrün.
R : Rot.

2. Wo versteckt sich Pimpinella? (Seite 21)
A : Im Korallenwald.
U : In einer Riesenauster.

3. Wem begegnet Pimpinella im Korallenwald?
(Seite 33)
O : Einem Gespenst.
H : Einem Geisterpfeifen-Fisch.

Lösungswort:

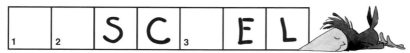

| 1 | 2 | S | C | 3 | E | L |

Rabenpost

Jetzt wird es Zeit für die Rabenpost! Besuch mich doch auf meiner Homepage **www.leserabe.de** und gib dort unter der Rubrik „Leserätsel" das richtige Lösungswort ein. Es warten außerdem noch tolle Spiele und spannende Leseproben auf dich! Oder schreib eine E-Mail an **leserabe@ravensburger.de**. Jeden Monat werden 10 Buchpakete unter den Einsendern verlost! Natürlich kannst du mir auch eine Karte schicken.

An den LESERABEN
RABENPOST
Postfach 2007
88190 Ravensburg
Deutschland

Ich freu mich immer über Post!

Dein Leserabe

Leichter lesen lernen mit der Silbenmethode

Durch die farbige Kennzeichnung der einzelnen Silben lernen die Kinder leichter lesen. Das gelingt folgendermaßen:

1. Die einzelnen Wörter werden in Buchstabengruppen aufgeteilt. Diese kleinen Gruppen sind leichter zu erfassen als das ganze Wort.
2. Die Buchstabengruppen sind ganz besondere Einheiten: Sie zeigen die Sprech-Silben an. Die Sprech-Silben sind der Schlüssel, um ein Wort richtig lesen und verstehen zu können.

Zum Beispiel können bei dem Wort „Giraffe" auch die ersten drei Buchstaben „Gir" als Gruppe gelesen werden: Gir - af - fe. Das könnte dann der Name einer besonderen Affenart sein.
Mit den farbigen Silben dagegen werden sofort die richtigen Buchstabengruppen erkannt: Giraffe. Beim Lesen ergibt sich automatisch der richtige Sinn. Es ist das Tier mit dem langen Hals gemeint.

Warum ist das so?
Beim Lesen in **Sprech-Silben** klingen die Wörter so, wie wir sie sprechen und **hören**. So kann der Sinn der Texte leichter entschlüsselt werden – lesen macht Spaß!
Sobald das Lesen flüssig gelingt, können auch alle Texte ohne farbige Silben sicher erfasst werden. Durch das Training erkennen die Kinder die Sprech-Silben automatisch.
Dadurch lesen alle Leseanfänger leichter und besser – und auch die nicht so starken Leser können schneller Erfolge erzielen.

Die farbigen Silben helfen nicht nur beim Lesen, sondern auch bei der **Rechtschreibung**. Sie machen die Struktur der deutschen Sprache sichtbar. Der Leseanfänger nimmt von Anfang an die Silbengliederung der Wörter wahr – und kann so die richtige Schreibweise ableiten.

Markieren die farbigen Silben die Worttrennung?
Die farbigen Silben zeigen die Sprech-Silben eines Wortes an. In den allermeisten Fällen ist das identisch mit der möglichen Worttrennung am Zeilenende. In erster Linie bei der Trennung einzelner Vokale (a, e, i, o, u; z.B. E-va, O-fen, Ra-di-o) gibt es einen Unterschied: Nach der aktuellen Rechtschreibung werden diese am Zeilenende nicht abgetrennt. Da diese Wörter aber mehrere Sprech-Silben haben, sind diese auch mit zwei Farben gekennzeichnet: Eva, Ofen, Radio, beobachten.

Weitere Informationen zur Silbenmethode auf: www.silbenmethode.de